Alicia Alarcón Armendáriz

Moctezuma Xocoyotzin

SELECTOR
actualidad editorial

SELECTOR
actualidad editorial

Doctor Erazo 120 Colonia Doctores 06720 México, D.F.
Tel. 55 88 72 72 Fax. 57 61 57 16

MOCTEZUMA XOCOYOTZIN
Autor: Alicia Alarcón Armendáriz
Colección: Biografías para niños

Diseño de portada: Sergio Osorio
Ilustrador de interiores: Sergio Osorio

D.R. © Selector, S.A. de C.V. 2004
    Doctor Erazo, 120, Col. Doctores
    C.P. 06720, México, D.F.

ISBN: 970-643-731-2

Quinta reimpresión. Junio 2016.

	Sistema de clasificación Melvil Dewey
920.71	
A116	
2004	Alarcón Armendáriz, Alicia. 1948.
	Moctezuma Xocoyotzin / Alicia Alarcón
	Armendáriz.—
	México, D.F.: Selector, S.A. de C.V., 2004.
	48 p.
	ISBN: 970-643-731-2
	1. Historia. 2. Historia de México. 3. Biografía.

Índice

A Martha y Silvia(†), salvadoras siempre.

Prólogo

Dos imperios se vieron frente a frente. Era el encuentro de dos mundos física, espiritual y socialmente diferentes: uno europeo y otro americano. A partir de ese momento la historia de ambos iba a cambiar de manera radical; el poderío de uno declinaría para que el otro se encumbrara.

La extremada religiosidad del Huey Tlatoani Moctezuma Xocoyotzin, que gobernaba en ese momento a Tenochtitlan fue la causa de esa caída; Quetzalcóatl, el dios de los vientos y del conocimiento, cuando se echó a la mar con rumbo desconocido había prometido regresar en un año 1 Caña —que podía ser 1467 o 1519— para restablecer su antiguo reinado.

La casualidad hizo que ese año 1 Caña cayera en 1467, el mismo en que nació Moctezuma II; la siguiente vez que apareció esta fecha en el calendario fue en 1519, cuando Hernán Cortés entró en la gran Tenochtitlan y fue recibido por el gobernante como si fuera realmente el dios que les había enseñado a los pueblos indígenas el arte de la orfebrería y del cultivo del maíz.

A pesar de que sus consejeros le insistían en que los recién llegados eran sólo hombres con algunas características físicas diferentes, él no lo quiso creer, pues cuando tomaba una decisión, sobre todo, de índole religiosa, ya no la cambiaba a pesar de lo que pudiera ocurrir.

Aquí te cuenta él, con sus propias palabras, cómo fue su infancia y la manera en que fue adquiriendo esa religiosidad y superstición que lo llevaron, por un lado, a engrandecer más esa nación, orgullo de ellos y nuestro y, por otro, a perder el más grande imperio de América.

Motecuhzoma Xocoyotzin

Dicen los agoreros o adivinos que voy a ser un elemento muy importante en mi querida Tenochtitlan, la ciudad que me vio nacer; mis padres decidieron que me llamara Motecuhzoma Xocoyotl, pero en el transcurso del tiempo han cambiado mi nombre de muchas maneras: Moteuczomatzin, Motecuhzoma Montezuma, Muteccuzuma y Moctezuma Xocoyotzin

Es esta última forma, Moctezuma Xocoyotzin, como se me ha quedado y no me disgusta, pues significa Moctezuma el pequeño, tanto por mi talla menuda como porque ya había uno con el mismo nombre en la familia, mi abuelo, Moctezuma Ilhuicamina, El flechador del cielo.

Los adivinos agregan que algún día voy a gobernar este gran imperio y que seré la causa indirecta de su eclipse, de su caída; no lo creo, porque somos el pueblo más fuerte de toda Mesoamérica, aquí están tanto los mejores guerreros como los sacerdotes más devotos y también los clanes más organizados. Cada uno de los habitantes de este gran mundo cumple bien con las labores que le han sido encomendadas, para tener contentos a los dioses, a fin de que nos permitan que la gloria de los aztecas siga brillando por siempre.

Además, sé muy bien que a pesar de que pertenezco a la nobleza, pues soy hijo de Axayácatl, el sexto gobernante de los aztecas, y de una mujer noble de Iztapalapan, hay otros antes que yo que merecen sentarse en el icpalli, el trono de los aztecas.

Tal vez los adivinos que escribieron eso en el Libro del Destino —donde se registra todo lo importante y la cuenta de los días sagrados— lo hayan expresado así porque nací en el año de 1467, el año 1 Caña, preci-

samente cuando Quetzalcóatl, el dios de los vientos y del conocimiento, prometió regresar. La siguiente vez que aparezca este año 1 Caña será en 1519, para entonces yo ya tendré 52 años, es decir; una vuelta del calendario.

De la aldea al imperio

Como te decía, aunque mi madre sea de otra región, de Iztapalapan, yo vi la primera luz aquí en la ciudad de Tenochtitlan, precisamente en el calpulli o barrio de Aticpac.

Un calpulli es un lugar en el que habita la gente de un mismo linaje de un mismo clan o barrio; antes había sólo siete barrios. Ahora, como ha crecido mucho la ciudad, ya son casi quince calpulleque, que es como se debe decir en plural. Cada calpulli tiene su templo y sus autoridades.

Nos establecimos en esta isla del Lago de Texcoco porque fue aquí donde se presentó la señal que buscábamos desde que salimos de Aztlán: un águila posada sobre un nopal, devorando una serpiente. Ésta fue la prueba de que somos el pueblo escogido por nuestro Dios Huitzilopochtli.

Es por eso que nuestra ciudad se llama
Tenochtitlan, el pueblo de Tenoch, o el tunal
sobre la piedra, y nosotros nos denominamos
tenochcas. También se nos conoce como
aztecas porque partimos de Aztlán.

Como esto era prácticamente un pantano,
nuestros antepasados tuvieron que construir las
casas de manera especial: con pequeños juncos
que sacaban del mismo lago y que luego
tejían como si fueran cestos, encima les
ponían lodo y de esta forma hacían el adobe,

que es sumamente resistente. Para los techos también usaban hierbas tejidas. Así lo seguimos haciendo.

Asimismo, idearon la manera de cultivar los alimentos y de hacer más grande la isla por medio de las chinampas, que hacían de manera similar. También tejían un gran cesto de unos dos metros y medio, de forma ovalada y luego lo cubrían con hojas y lo llenaban de lodo; al crecer la hierba, el cesto quedaba fijo en el lago y cuando ya estaba seco servía perfectamente para sembrar en

él lo que se deseara, como maíz, calabaza y frijol, por ejemplo.

Todos los gobernantes han hecho mucho por la ciudad. En particular le debemos al segundo Tlatoani, Huitzilíhuitl, la idea de unir la isla con tierra firme por medio de cuatro calzadas, fabricadas de forma similar a las chinampas; hay una por cada punto cardinal. Otro gobernante, Izcóatl, construyó el acueducto —formado por tubos de barro de un espesor igual al de un cuerpo humano y una longitud de ocho km— para dotarnos de agua dulce desde Chapultepec.

Tláchtli y patolli

Los primeros juguetes que tuve, aunque claro, yo no lo recuerdo, fueron un arco y unas flechas en miniatura que mis padres enterraron junto con mi ombligo como una forma de consagrarme a los dioses.

Desde muy pequeños todos aprendemos a tocar instrumentos y a bailar las danzas tradicionales y ésa es una forma de diversión, algunos escogemos tocar el teponaztli (timbal) o el huéhuetl (tambor); otros, el ayacachtli (la sonaja) y algunos más como el atecocoti (el caracol) y la tlapizalli (flauta). Entre las danzas nos gusta especialmente la del Volador, que consiste en que cinco danzantes suben a un tronco de árbol despojado de todas sus ramas; uno se queda arriba tocando el huéhuetl mientras los otros —amarrados de los pies van bajando como si volaran; deben dar trece vueltas en el aire mientras van descendiendo hasta llegar al suelo.

También jugamos al patolli o al táchtli, el juego de pelota, que se celebra en una cancha en forma de "I"; participan dos equipos y gana quien logre meter la pelota por una especie de argolla colocada en el terreno contrario; nosotros jugamos al tláchtli por diversión, pero los adultos lo hacen con fines religiosos y para tener; hombres que sacrificar a los dioses.

Una ocupación que tenemos los niños, pero que representa un juego para nosotros, es recoger ramas de árboles y todo tipo de flores para adornar la casa cuando va a llegar un invitado.

El ascenso de un Tlatoani

Como somos una nación muy joven, hemos tenido muy pocos gobernantes; el primer Huey Tlatoani fue Acamapichtli, en 1373, quien por supuesto tenía —igual que todos los que somos nobles— sangre tolteca corriendo por sus venas.

Cuando yo tenía unos diez años falleció Tízoc y se fue a uno de nuestros trece cielos a fin de hacer su recorrido para llegar algún día a su destino final, el noveno infierno.

Fue muy impactante ver la manera en que asciende al trono el nuevo tlatoani; el consejo supremo eligió a mi tío Ahuízotl.

El día de la ceremonia, el más propicio de acuerdo con el Libro del Destino, todos asistimos a ver la ascensión del nuevo

tlatoani, había muchísimos invitados de todas partes del mundo: tlatelolcas, acolhuas, tepanecas, totonacas y hasta tlaxcaltecas.

Ahuízotl llegó al templo de Huitzilopochtli y allí se quedó, sólo con paños menores; era un acto que se realizaba en un completo silencio y ni siquiera tocaban los tambores, que es la música que nos acompaña en todas las ceremonias.

Cuando llegó ante las gradas del templo, los dos dignatarios más importantes lo

tomaron cada uno de un brazo y así con una inmensa dignidad subieron los tres, cada uno de los escalones hasta el templo, donde lo esperaban las autoridades religiosas. El sacerdote principal pintó de negro el cuerpo del futuro tlatoani y lo cubrió con dos mantas pintadas con cráneos y huesos de muerto, la primera era negra y la segunda azul.

Lo que más me llamó la atención fue que lo rociaron con unos polvos especiales para que no sufriera daño de ningún tipo y pa-

ra que supiera tomar las decisiones más con-
venientes para el pueblo. El sacerdote le
recordó lo que todos sabemos: que el tenochca
es un pueblo en el que siempre deben coope-
rar unos con otros y que el egoísmo es una
falta de educación.

Después de eso, el futuro gobernante
se fue a ayunar durante cuatro días y nosotros también regresamos a nuestras casas, tanto para seguir con nuestras ocupaciones como
para ofrecer sacrificios a los dioses con la fina-
lidad de suplicarles que el elegido fuera un

hombre virtuoso, humilde, considerado y com-
pasivo con el dolor de los gobernados.

A la medianoche del cuarto día, Ahuízotl
se dio un baño ritual en honor de Huitzilopochtli y luego los sacerdotes, con gran pompa y
muchos festejos, lo llevaron a que hiciera uso
a partir de ese momento de su casa real y que
empezara a gobernar.

Tlazontecóyatl

Una vez aquí, en el palacio de mi padre, ocurrió un hecho insólito: un macehual, hombre del pueblo, impidió con su cuerpo que un esclavo se refugiara en este sitio y consiguiera su libertad.

Axayácatl aprovechó la oportunidad para darnos a sus hijos una lección de lo que es la justicia y nos llevó al tlazontecóyatl, o sea, el lugar de las sentencias.

Vimos cómo los jueces juzgaban a varias personas que habían cometido delitos: un ladrón, el macehual del que te platiqué, quien quedó a su vez como esclavo, y un hombre que se perforó la nariz de una forma que sólo le corresponde hacerlo al tlatoani.

Mucha gente asiste a este lugar porque el juez aprovecha para darnos una plática

sobre la severidad de nuestras costumbres y de las leyes que nos gobiernan.

El robo está sumamente castigado porque nuestras casas y propiedades se encuentran a la vista de todos y no es justo que alguien que no se haya ganado algo, lo disfrute.

También está prohibido que alguien trate de ocupar un lugar que no le corresponde, por eso fue encarcelado el hombre que se horadó la nariz.

Cuando estábamos allí llegó un topilzin o policía con un noble que andaba borracho en la calle; el juez de inmediato condenó a éste a la muerte y nos advirtió que a mayor jerarquía social, mayor castigo. Si hubiese sido un macehual quien consumiera el octli se habría hecho acreedor a un regaño y una rechifla pública la primera vez, además de llevar la cabeza rapada durante un tiempo; en caso de reincidir, entonces sí hubiera recibido la muerte.

Por eso no hay gente ebria entre nosotros; sólo a los ancianos, en determinadas

fiestas, se les permite consumir pulque porque se considera que ya se ganaron ese derecho.

El juez, el carcelero, el policía y todos los que laboran aquí, están conscientes de la responsabilidad de sus cargos y de su trabajo y saben que bajo ningún pretexto deben aceptar ningún soborno o cohecho de nadie, pues esto los conduciría a ellos también a la muerte.

Fue muy fructífera esta lección pues me di cuenta de que para haber llegado a ser una sociedad como la que tenemos hasta ahora es necesario haber seguido con esmero las leyes, tanto religiosas como sociales.

Novicios del Calmécac

Todo azteca sueña con ser un buen guerrero o un buen sacerdote. Yo aún no sé cuál
será mi destino, pero mientras tanto, estoy
aquí en el Calmécac. Cuando ingresé, a los
diez años, me cortaron el cabello; sólo me
dejaron un mechoncito, una piocha como
le decimos nosotros.

Aquí aprendemos a tener más resisten-
cia física y para ello realizamos largas cami-
natas, cargamos mucho peso durante todo
el día o aguantamos un determinado tiempo sin comer ni beber.

Sin embargo, también tenemos tiempo
para retozar. A mí me gusta jugar a la gue-
rra y ser el general; lo que me desagrada es
que alguno de los compañeros sea cobarde
o llore cuando reciba algún golpe en la pe-
lea. Cuando pasa algo así, yo mando pedir

un huipil —de los que usan las mujeres— y le ordeno al debilucho ése que se lo ponga; por supuesto, ese muchacho nunca más vuelve a participar en ningún acontecimiento con nosotros, pues en las batallas va a intentar huir o se pondrá a llorar, echándonos a perder nuestro juego.

Nosotros, los pequeños-sacerdotes, como nos denominan a quienes estudiamos en el Calmécac, estamos muy ocupados atendiendo las necesidades de los diversos dioses, pero en especial de las dos deidades principales de Tenochtitlan; Quetzalcóatl y Huitzilopochtli.

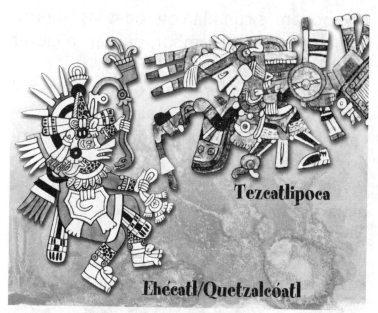

Tezcatlipoca

Ehécatl/Quetzalcóatl

Yo prefiero a Quetzalcóatl, Serpiente emplumada, máscara de pájaro con boca de serpiente, quien peleó contra Tezcatlipoca, dios de la noche, que en vez de pies tenía garras de jaguar; Quetzalcóatl al partir a la mar, prometió regresar en un año 1 Caña y establecer en México su antiguo reinado.

Para poder cumplir con los dos calendarios —el solar o tonalpohualli, de 365 días, y el sagrado o tonalámatl, de 260 días— se han repartido los meses para de que nosotros podamos cumplir con todas las labores, como son tocar el tambor, danzar, o elevar sacrificios o plegarias.

Por ejemplo, durante el onceavo mes del año —ochpaniztli— el tlatoani distribuye recompensas y armas honoríficas a los miembros de su ejército. En este mismo mes, las jóvenes sacerdotisas de Xilonen, la diosa del maíz tierno —la base de nuestra alimentación y de nuestra economía— ofrecen a la multitud la posibilidad de contar todo el año con alimentación suficiente, pues avientan

puñados de maíz pintados de diversos colores junto con semillas de calabaza, y los que estamos allí los recogemos y los guardamos para que la diosa nos proteja.

Es ésta una de las ceremonias más bonitas y más coloridas, pues las sacerdotisas van vestidas con sus mejores huipiles y sobre la espalda portan —envueltas en ricas telas— siete mazorcas de maíz; en los brazos y piernas portan adornos de plumas y llevan la cara pintada.

En el decimocuarto mes —quecholli— las mujeres acudían al templo de Mixcóatl y llevaban a sus hijos pequeños ante las viejas sacerdotisas asignadas a ese templo, quienes los tomaban en sus brazos y danzaban.

Y así sucede con todos los meses, que están dedicados a diferentes dioses, nosotros en todas esas ceremonias tocamos los instrumentos musicales y también oramos.

Los que escriben pintando

Hace unos días visitamos a un tlacuilo, un artista que deja constancia de lo que va ocurriendo mediante símbolos, con lo que llaman lenguaje ideográfico; él prometió enseñarnos lo que sabe. Me da mucho gusto porque voy a poder leer yo mismo los códices y no estar esperando a que alguien me diga qué dice en ellos.

Nos contó el tlacuilo que hay muchos idiomas, como el maya y el mixteco, entre otros, y que el nuestro se llama náhuatl; que es una lengua grave o llana, eso ya no lo entendí muy bien porque habló algo de los acentos que no comprendí, pero prometió volver a explicárnoslo otro día.

Todo esto lo escribe el artista con colores en amate, una especie de papel fabricado de la pulpa del maguey.

Cuando nos despedimos, a algunos de nosotros el tlacuilo no hizo un retrato; ya no sólo me veré reflejado en el tranquilo líquido de los aguamaniles o de los espejos de obsidiana tan pulidos, sino que sabré cómo me observan los otros, con un rostro en forma de triángulo invertido que da la impresión de vivacidad e inteligencia; mi nariz es aguileña y puedo imprimir en mis ojos gra-

vedad, solemnidad o amor, según lo requiera la ocasión.

Hasta aquí te cuento por ahora, pues ya cumplí los trece años y ya voy a salir a una batalla para tratar de convertirme en un iyac, es decir, el que ya ha hecho un prisionero. En caso de que lo logre, me cortarán la piocha y me convertiré en un adulto.

Datos importantes para la escuela

1467. Año 1 caña, nací en Tenochtitlan, la gran ciudad mesoamericana.

1502. Tras el fallecimiento de Ahuízotl, octavo tlatoani, subo al icpalli o trono azteca.

En 1505 hubo una terrible hambruna en la urbe azteca y tuve que prohibir la servidumbre antigua, hecho que provocó cambios importantes en la economía, con los que muchos no estuvieron de acuerdo. Durante mi gobierno impuse una gran etiqueta social.

En 1506 sometí al señorío mixteca y ya para 1519 el águila mexicana volaba prácticamente sobre todo el mundo conocido, desde el Pánuco hasta Yucatán y Centroamérica y por el litoral del sur hasta las costas del actual estado de Guerrero. Desde 1509 hasta 1519 Nezahualpilli, un experto en artes esotéricas, estuvo hablando de muchos presagios que auguraban el fin de mi imperio; en 1517 —coincidiendo con las primeras expediciones españolas— estas señales cobraron una forma concreta: Quetzalcóatl, el dios justo, el gobernante perfecto, retornaba a Tenochtitlan, cuando lo había prometido: el año 1 Caña, o sea en 1519.

El 21 de abril de 1519 me comunicaron que los españoles, que no eran dioses, estaban ya en Chalchiuhcuecan, cerca de la cuidad de Veracruz, eso me puso muy triste.

El 16 de agosto de 1519 las huestes españolas iniciaron el camino hacia la gran México-Tenochtitlan.

El 8 de noviembre de 1519 decidí recibirlos en el templo de la diosa Toci, ubicado en la correspondencia de las actuales calles de Pino Suárez y República de El Salvador, en el Centro Histórico de la Ciudad de México.

Un poco después Hernán Cortés me toma preso en mi propio palacio.

El 20 de mayo de 1520 se fue Cortés a luchar contra Pánfilo de Narváez y Pedro de Alvarado aprovechó la fiesta de Teóxcatl para atacar a los asistentes a la fiesta religiosa quienes iban desarmados; la matanza fue atroz.

El 25 de junio de 1520 regresa Cortés y ante la sublevación popular me pide que salga a la terraza con mis mejores galas imperiales, para calmar a mi pueblo, pero la turba enfurecida me insulta, me lanza piedras, flechas y jabalinas que me hieren no sólo en lo moral sino también en lo físico.

Entre el 27 y el 30 de junio de ese mismo año me llegó la muerte como respuesta a esas heridas.

Esta edición se imprimió en Junio 2016. Impre Imagen
José María Morelos y Pavón Mz 5 Lt 1 Ecatepec Edo de México.